글·그림 케나드 박

드림웍스와 월트디즈니에서 영상개발자로 활동했습니다. 현재 샌프란시스코에서 아내와 세 마리 고양이를 키우며 살고 있답니다. 《안녕, 가을》, 《안녕, 겨울》을 쓰고 그렸으며, 리타 그레이의 《둥지를 짓는 새들 이야기》와 J. C. 유의 《저절로 차려진 저녁 식사》 등 여러 어린이책에 그림을 그렸습니다.

옮김 서남희

서강대 사학과와 대학원에서 공부했습니다. 지은 책으로는 <아이와 함께 만드는 꼬마영어그림책>, <그림책과 작가 이야기> 시리즈가 있고, 《그림책의 모든 것》, 《100권의 그림책》, 《구름왕국》, 《달가닥 콩! 덜거덕 쿵!》 등을 우리말로 옮겼습니다.

안녕, 봄

글·그림 케나드 박   옮김 서남희

 국민서관

안녕, 겨울밤아.

안녕, 눈아.

안녕! 나는 저 높은 하늘에서

나풀나풀 나부끼며

아래로, 아래로

내리고 있어.

나뭇가지 사이로 살랑살랑 떠다니거나

탐스러운 강아지 꼬리에 살며시 내려앉지.

안녕, 꽁꽁 얼어붙은 연못아.

안녕, 잠자는 물고기들아.

안녕! 우리는 겨울잠을 자느라 옹기종기 모여 있어.

휘이잉 불어오는 찬 바람이

얼음 천장에 앉은 눈가루를 이리저리 흩날려.

안녕, 온실아.

안녕! 텅 빈 내 안은 추워.
유리 너머 흔들리는 나무들이 가늘고 기다란 유령들 같아.
남은 장작에는 새하얀 눈이 소복이 쌓여 있어.

안녕, 겨울 시내야.

안녕! 구불구불한 나를 따라
바위와 나뭇가지들이 웅크리고 얼어 있어.

안녕, 눈 위에 난 발자국들아.
안녕! 포슬포슬 눈이 쌓이면 우리는 살그머니 사라질 거야.

안녕, 나무들아.
안녕! 우리의 가느다란 팔은
눈보라에 파르르 떨리다가
점점 세차게 흔들려.

안녕, 빈 둥지야.
안녕! 내 잔가지들은 서로 꼭 껴안고
휘몰아치는 바람에 맞서고 있어.

안녕, 겨울 폭풍아.

잘 잤니, 발그레하게 물든 언덕들아.

잘 잤니? 동이 트면 우리는 빨갛게 타올라.

안녕, 아침 햇살아!

안녕! 나는 네 주위의 모든 것을 환히 밝혀 줘.

안녕, 녹다 만 눈아.

안녕! 나는 볕 드는 곳에서는 땅속으로 스며들고,
그늘진 곳에서는 그대로 있어.

안녕, 포근해지는 나날들아.

안녕, 파릇파릇한 새잎들아.

안녕, 긴 잠에서 눈뜬 동물들아!

안녕, 눈부신 해야!

안녕! 나는 온 세상을 따스하게 해.

안녕, 꽃봉오리들아.
안녕, 반짝반짝 파란 연못아.
안녕, 느릿느릿 흐르는 시내야.
안녕, 온통 돋아난 연둣빛 풀들아.
안녕, 울새들아!

안녕! 우리는 생글생글 꽃을 피워.
물고기들도 초롱초롱 깨어나.
언덕에서 물줄기가 재잘재잘 흘러내려.
아침 이슬이 풀잎에 송알송알 맺혀 있어.
지지배배 새들도 다시 돌아왔어!

잘 가, 겨울아.

안녕, 봄!

제임스, 마사, 크리스에게

국민서관 그림동화 233

안녕, 봄

펴낸날 1판 1쇄 2020년 3월 18일 1판 2쇄 2020년 6월 5일
글·그림 케나드 박 **옮김** 서남희
펴낸이 문상수 **펴낸곳** 국민서관㈜ **출판등록** 제406-1997-000003호
주소 (10881)경기도 파주시 광인사길 63 국민서관㈜ **전화** 070)4330-7866 **팩스** 070)4850-9062
홈페이지 http://www.kmbooks.com **카페** http://cafe.naver.com/kmbooks
페이스북 http://www.facebook.com/kookminbooks
ISBN 978-89-11-12683-5 74840 / 978-89-11-12595-1(세트) **값** 10,000원

＊잘못된 책은 구입하신 곳에서 바꿔 드립니다.
＊이 책의 일부를 재사용하려면 반드시 국민서관㈜의 동의를 얻어야 합니다.

이 도서의 국립중앙도서관 출판예정도서목록(CIP)은 서지정보유통지원시스템 홈페이지(http://seoji.nl.go.kr)와
국가자료종합목록 구축시스템(http://kolis-net.nl.go.kr)에서 이용하실 수 있습니다. (CIP제어번호 : CIP2020006847)